D1545290

THE NAME CHAPTER:
TEMPTATION

"

Must you walk down that painful road?
What you'll meet at the end is nothing but a grown-up who forgot how to dream.
Child, take my hand.
I'll show you how fun it is to fly up above the sky.

"

Daydream

"Dream on, dream on, good night!"

-<*Devil by the Window*> 중에서

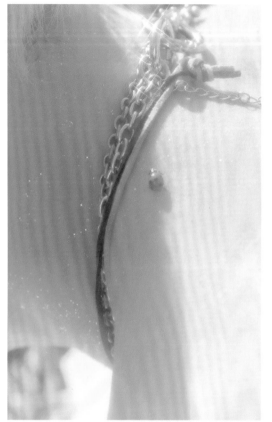

"Come a little closer"
-<*Sugar Rush Ride*> 중에서

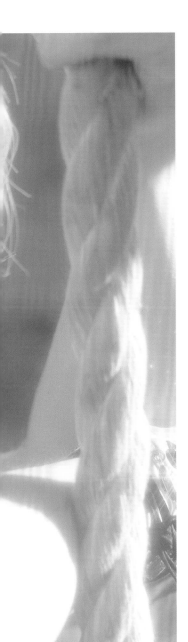

"기분 좋은 게으름의 맛 아주 달콤한걸"
-<*Happy Fools (feat. Coi Leray)*> 중에서

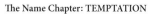

"그저 굴러가는 게 나만의 rock 'n' roll"
-< *Tinnitus* (돌멩이가 되고 싶어)> 중에서

"아름다웠던 그 모든 게 진실이 아니란 것을 알기에"
-<네버랜드를 떠나며> 중에서

안녕하세요. 수빈입니다.
저번 앨범도 긴 공백기를 기다려주신 여러분께 이번 앨범만큼은 빠르게 찾아오고 싶었는데
또 이렇게 오랜만에 인사를 드리게 돼서 미안해요.
그만큼 좋은 모습, 멋있는 모습 많이 보여줄게요.

제가 진지한 글을 잘 안 쓰기도, 못 쓰기도 하는데 이번만큼은 솔직하게 적어볼까 합니다.

늘 감사한 분들이 많았지만 최근 들어 정말 진심으로 소중한,
오래도록 함께하고 싶은 사람들이 있어 꼭 집어 말하고 싶어요.
아직 어리고 미성숙한 제 탓에 고생 많으신 우리 의전팀 대영 님, 영욱 님, 승찬 님, 지수 님 그리고 제경 님!
제가 많이 신뢰하고 편해져서 가끔 미운 모습을 보일 때가 있는데 늘 죄송하고 감사해요.
우리 다섯 멤버들 애정하고 아껴주시는 게 눈에 보여요. 덕분에 늘 힘든 일정 속에서도
즐겁게 일하고 하루를 웃으며 마무리합니다. 사랑해요.

그리고 아기 고양이들 같은 우리 퍼디팀 수빈 쌤, 재원 쌤 그리고 현우 쌤 제가 정말 의지 많이 하고 있어요.
한 번도 말은 안 했지만 제가 우리 쌤들 가장 좋아할걸요! 만사가 대충대충 귀찮귀찮인 저를 정신 차리게
해 주는, 열심히 하고 싶은 의지를 만들어주는 최고의 선생님들 어디 가지 말고 저희랑 오래 춤춰요.

그리고 또 내 반쪽 우리 모아들!!!
사실 원래 제 자신을 조금은 미워했는데 과분하도록 큰 사랑을 받다 보니
이제는 저를 꽤 사랑하게 된 것 같아요.
제가 투모로우바이투게더의 리더라는 점이, 모아들이 우리의 친구라는 점이 참 감사하고 자랑스럽습니다.
저를 보다 나은 사람으로, 저 스스로가 지향하는 사람에 조금씩 가까워질 수 있도록
응원해주고 도와주셔서 감사합니다.
이제 더욱 씩씩하게 제 길을 항해할게요. 제 모험에 함께해주세요. 누구보다 사랑합니다!

마지막으로 사실 2022년은 하루하루 스스로에게 의문을 품고 지냈던,
매일매일이 도전이고 시도였던 조금은 많이 고된 한 해였어요.
동시에 멤버들 덕분에 하루하루 버리고 이겨내며 한 걸음씩 앞으로 나아간,
작게나마라도 꾸준히 성장할 수 있었던 뿌듯하고 감사한 한 해이기도 했습니다.
낯부끄러운 말이 어려워 고맙다는 인사를 못했는데 이 기회를 빌려 넌지시 인사를 건네봐요.
우리 멤버들 고맙고 사랑해요.

우리 투모로우바이투게더 최고

안녕하세요. 연준입니다.

저희가 오랜만에 컴백을 했습니다. 작년에 한 번뿐이었지만 길지 않았던 활동이 너무나 아쉬웠기에
이번 활동을 하루빨리 바라 왔고 저희들의 새로운 모습과 음악을 보여드릴 수 있다는 생각에
이 글을 쓰면서도 설레고 가슴 뛰었습니다. 기다려주신 많은 분들께 이 앨범으로 보답하고 싶고
이 앨범을 위해 안 보이는 곳에서도 열심히 노력해주신 많은 분들께 감사의 말씀 전하고 싶습니다.

항상 저희를 믿어주시고 멋진 아티스트로 발돋움할 수 있게끔 해주시는 시혁 피디님을 비롯해
영재님, 대현님, 선영님, 지혜님 감사드립니다.

언제나 저희보다 더 고생하시고 밤낮 안 가리고 같이 달려주시지만 웃음 잃지 않고 저희 팀의 힘이 되어주시는
든든한 버팀목이자 우리 팀의 자랑인 의전팀, 매니지먼트 팀 감사하고 또 사랑합니다.

근사한 옷 입고 좋은 노래의 멋진 퍼포먼스 할 수 있게 해 주시는 VC팀, 프로듀서 분들, 퍼포먼스 디렉팅팀,
A&R 팀, 엔지니어 분들 진심으로 감사합니다.

항상 좋은 콘텐츠를 위해 노력해주시고 힘써주시는 아콘스 팀, FC팀, 마케팅 팀, TODO 팀 정말 감사합니다.

신개팀 형 누나들 시간이 지나도 여전히 너무 감사하고 항상 고생해주시고
저희 빛나도록 해주시는 헤어, 메이크업, 스타일팀 스태프 분들 진심으로 감사합니다.

우리 엄마, 아빠, 할아버지, 할머니 그 외에 가족들 너무 많이 사랑하고 소중한 내 친구들, 키워주신 쌤들
고맙습니다. 지금보다 더 자랑스러운 연준이가 될 수 있도록 할게요.

멋진 우리 멤버들, 지금도 너무 멋있고 자랑스럽지만 우리 더 멋있어지자.
언제나 고맙고 사랑한다. 아프지 말자~ 그리고 이번 활동도 찢어보자.

새 앨범을 준비하는 동안 같이 진행되었던 저희의 첫 투어는 저에게 많은 걸 느낄 수 있게끔 해줬던
값진 시간이었습니다. 전 세계에 많은 모아를 만나면서도 느꼈고, 우리 빅히트 뮤직 식구분들과
종종 이야기를 나누면서도 느꼈던 건, 모두 저희가 잘 되기만을 진심으로 바라고
우리에게 정말 많은 사랑과, 시간과, 열정을 쏟아 주시는구나를 느껴서 너무 감사했습니다.
이게 당연한 게 아닌데 대체 우리가 뭐라고 이렇게까지 과분한 사랑을 주시고
우리를 위해 힘써주실까 생각하다 보면 조금은 지치던 순간에도 다시 미소 짓고 힘차게 달릴 수 있었습니다.
항상 당연하다는 듯 넘치는 사랑 주는 우리 모아와 저희보다 훨씬 더 뒤에서 노력해주시는 많은 분들께
제가 달려야 하는 이유이자 원동력이 되어주셔서 감사하다고 전하고 싶습니다.
더 좋은 모습으로 보답하겠다고 약속드리며 이번 활동도 멋지게 달려 보겠습니다.
늘 말했듯 앞으로도 멋지고 겸손하게 음악 하는 연준이 되겠습니다.

감사합니다.

Thanks to.

안녕하세요. 범규입니다.
이번에도 정말 정말 열심히 준비해서 새로운 앨범으로 돌아왔습니다!!!
우리 모아 분들이 저희들의 새로운 모습을 보고 좋아해 주셨으면 좋겠어요!!ㅎㅎ

투어부터 앨범이 세상 밖으로 나오기까지 정말 많은 분들이 노력해주시는구나
또 한 번 정말 많이 느낀 것 같아요.
항상 저희 곁에서 좋은 퀄리티의 앨범과 멋진 무대를 위해 힘써주시는 빅히트 식구 분들 감사합니다🩶

그리고 우리 엄마, 아빠, 형, 토토 자주 만나지는 못하지만 항상 응원해줘서 고맙고, 사랑합니다🩶

이번에 투어를 하면서 우리 모아 분들께 하고 싶은 말이 정말 많았어요!!
무대를 하면서 우리 모아 분들이 같이 웃고 울어주고, 진심으로 즐겨주는데
제가 무대를 하면서 가슴이 뭉클해져서 눈물이 날 것 같더라구요...

앞으로도 우리 모아 분들께 좋은 앨범과 무대를 보여드리고 싶고, 소중한 경험을 함께 공유하고 싶습니다!
앞으로도 우리 오래오래 함께해요!!

우리 모아 분들에게 자랑스러운 투모로우바이투게더의 범규가 되겠습니다.
우리 모아 사랑합니다🩶

일본 앨범을 제외하면 꽤나 오랜만에 들고 온 앨범인데
가장 먼저 기다려준 우리 모아들 너무 고맙고 사랑합니다.
22년은 첫 월드투어가 있었던 만큼 해외에서 시간을 많이 보냈는데요.
가는 곳마다 넘치는 사랑 보내주신 모아들 감사합니다.
이 앨범 곡들도 조만간 보여드리기 위해 가겠습니다.
투어 잘 돌 수 있게 활약해주신 투어팀, 콘서트팀 감사합니다.
또 같이 일하는 빅히트뮤직 레이블 구성원분들
밤낮 할 것 없이 저희랑 일해주셔서 감사드리고,
우리 헤메스 스텝분들도 항상 고생해주셔서 감사합니다.
내 쉬는 날을 책임져주는 언복팸 너무 고맙고,
저희 팀에 무한한 애정 쏟아주시는 시혁 피디님 감사하고 사랑합니다.
엄마, 아빠, 누나, 호박이 더 행복했으면 좋겠고,
늘 같이 달려주는 멤버들 고맙고 언제나 믿습니다.

안녕하세요. 투모로우바이투게더 휴닝카이입니다!
두 개의 장을 끝내고 이렇게 새로운 장으로 컴백하게 되었습니다!
새로운 시작인만큼 정말로 생각을 많이 하고 열심히 준비했습니다.
오랫동안 기다려주신 우리 모아분들 진심으로 감사합니다!

먼저 늘 신경 써주시고 앨범에 도움을 주신 방시혁 대표님께 감사드린다는 말씀을 전하고 싶습니다!

그리고 없으면 안 되는 우리 멋쟁이 의전팀 대영님, 지수님, 승찬님, 제경님, 영욱님 진심으로 감사드리고
저희 활동을 빛나게 해준 성석님, 준형님 감사합니다!!!!

A&R팀 그리고 프로듀서 Slowrabbit님, El capitxn님, 휘규님
늘 저희의 녹음을 신경써주고 타이틀, 수록곡 멋있게 녹음 해 주셔서 진심으로 감사드립니다.

멋있는 안무와 컨트, 시상식 퍼포먼스를 짜주신 퍼디팀 수빈님, 현우님, 재원님 정말로 감사합니다!!
컨트때 함께한 우리 댄서 다섯분도 넘 고마워용 ㅎㅎ

기발한 콘텐츠를 생각해주신 우리 아콘스팀, 마케팅팀 정말로 감사합니다.

저희의 비주얼과 의상을 책임지는 우리 VC팀 지인님, 수정님 진심으로 감사합니다!

그리고 사랑하는 가족들 늘 고맙고 나를 믿어주고 소중하게 키워준
우리 어머니, 아버지, 누나, 히에, 할머니, 이모, 사촌친구 그리고 사랑스러운 사촌들 고맙고 설날때는 꼭 보자!!

우리 멤버들 이번에도 너무 잘 준비했고 여러 가지 신경 쓰고 준비하느라 고생 많았엉!!
다들 건강이 제일 중요하니까 건강 챙기고 멋있게 컴백했으니까
이제 실제 무대에서 모아분들이랑 재밌게 놀아보자!! 후회 없는 무대 만들장!!

마지막으로 우리 모아분들 이렇게 또 컴백을 하게 되었는데 늘 응원과 사랑을 보내줘서 고마워용!
또 받은 만큼 저희가 멋있게 무대할거니까 기대 많이 해주세용 ㅎㅎ!
올해 또 1월로 시작해서 많은 게 준비되어있으니까 올해 신나게 놀고 후회 없는 1년을 보내봐용!
늘 눈부시고 반짝이는 우리 모아 사랑해용♡♡

멋있는 무대로 우리 모아분들 감동시킬 거니까 딱 기다리세용!!^3^ 그럼 또 봐용 모아분들 올해도 파이팅!!

Aartist	TOMORROW X TOGETHER
Executive Producer	신영재, 김대현
Chief Producer	"hitman" bang
Producer	SLOW RABBIT
Mastering Engineer	Chris Gehringer @Sterling Sound
Head of Creative	Sun Moon
A&R	김보람, 강혜인, Hiju Yang
Recording Engineers	김수정, 손유정, 전부연, 정우영, 최혜진
Brand Experience Design	최세열, 김예은
Visual Creative	정수정, 김서연, 강주은, 손유정
	Rakta
Album Storytelling	안인용, 허영지, 김송요, 이아람
Performance Directing	김수빈, 우현우, Jaepy
Choreography	김수빈, 우현우, Jaepy, Kain
Head of Management	천지혜
Artist Management	이성석, 양준형
	김대영, 고영욱, 김지수, 신승찬, 유제경
Marketing	민예슬, 이민우, 이보은, 인정진
Project Management	김소영, 신지은, 이준현
Business Management	조수희, 이유경, 김태진, 이수지
Public Relations	정진호, 엄미선, 장애리, 김우주, 김한나, 박윤주
Digital Communications	구미경, 김하나, 성소라, 고은희, 박해준, 임은비, 조이, 한지수
Community Management	이동환, 오영준, 정혜정, 김세진
Distribution & Partnership	박희순, 강경진, 김동엽, 최윤진, 양유진, 김유영
	류무열, 이와모토 히데키, 김한, 조미사, 요시자와 아야카
	정미나, 전수연, 카나자와 유나, 타나카 코토나
Artist Contents Studio	방우정, 곽윤아, 김민경, 김민주, 신재은, 이다민, 이유리, 이지은
Photo	류경윤 / ART HUB TEO
Concept Film	이재돈, 김보성
Stylist	이아란
Hair	김승원
Make Up	노슬기
Set Styling	박진실, 김보나 (MU:E)
Special Thanks	강명석, 김동준, 김주영, 김신규, 김태호, 박지원, 서계원, 신선정, 윤석준,
	이경준, 이명학, 이승석, 이진형, 정우용, 최준원, 한현록, 황보상우, Scooter Braun
	스토리사업본부, 위버스컴퍼니, HYBE IPX, HYBE 360, HYBE Media Studio, T&D사업실, 캐스팅팀
	김원영, 김혜지, 박성희, 임하나, 장대현, 최주희, 박세미, 구상아

Connect with
TOMORROW X TOGETHER

https://ibighit.com/txt
https://twitter.com/TXT_bighit
https://twitter.com/TXT_members

https://www.facebook.com/TXT.bighit
https://www.instagram.com/txt_bighit
https://www.tiktok.com/@txt.bighitent

https://weverse.io/txt
https://www.weibo.com/TXTbighit